TREZENA DE SANTO ANTÔNIO

Frei Clarêncio Neotti

Trezena de Santo Antônio

EDITORA
SANTUÁRIO

Direção editorial	Pe. Marcelo C. Araújo, C.Ss.R.
Coordenação editorial	Ana Lúcia de Castro Leite
Copidesque	Leila Cristina Dinis Fernandes
Revisão	Luana Galvão
Diagramação e Capa	Marcelo Tsutomu Inomata

Dados Internacionais de Catalogação na Publicação (CIP)
(Câmara Brasileira do Livro, SP, Brasil)

Neotti, Clarêncio
   Trezena de Santo Antônio / Frei Clarêncio Neotti. – Aparecida, SP: Editora Santuário, 2014.

   ISBN 978-85-369-0349-1

   1. Antônio, Santo, 1195-1231 2. Trezenas I. Título.

14-08114 CDD-264.0274

Índices para catálogo sistemático:
1. Trezenas: Santo Antônio: Igreja Católica
264.0274

3ª impressão

Todos os direitos reservados à **EDITORA SANTUÁRIO** – 2016

Composição, CTcP, impressão e acabamento:
Editora Santuário - Rua Pe. Claro Monteiro, 342
12570-000 – Aparecida-SP – Tel. (12) 3104-2000

Introdução

A Bula de Canonização de Santo Antônio, escrita pelo Papa Gregório IX na festa de Pentecostes de 1232, tem esta afirmação: "Os justos brilharão como sol na presença de Deus. Isto quer dizer que é piedoso e justo que louvemos e glorifiquemos na terra com a nossa veneração aqueles a quem Deus coroa e honra no céu com o mérito da santidade. Aquele que é eternamente digno de louvor e glória torna-se mais louvado e glorificado nos seus santos".

Rezo com a *Primeira Vida* de Santo Antônio (1232): "Pai santo, acolhe, benigno, aqueles que te honram com exultante devoção e assiste-nos como intercessor em nosso favor!".

Reflito o que um confrade do santo escreveu em 1245: "Ao ouvir sobre a vida de Santo Antônio, poderei descobrir o quanto me falta de perfeição e sentir-me estimulado a imitar a fé e a virtude desse irmão, dentro de minha possibilidade".

Esta é justamente a finalidade da Trezena: louvar a Deus por ter-me dado Santo Antônio como exemplo de vida e santidade e pedir a Santo Antônio que interceda por mim, lembrando-lhe alguma necessidade pessoal minha.

A Trezena pode ser feita em particular. Então posso demorar-me e refletir sobre os pensamentos e orações propostas. Se um pensamento me levar a uma meditação de ao menos meia hora, posso até deixar de lado os outros textos. A Trezena foi elaborada com a intenção de ultrapassar a oração, sobretudo a mecânica e interesseira, e alcançar a contemplação, que pode mudar os rumos da vida.

Se a Trezena for feita em comunidade, rezem-se em comum as orações e leiam-se devagar os pensamentos, que podem ser comentados em voz alta por uma ou várias pessoas.

Ao destacar as qualidades de Santo Antônio, tive de fazer uma opção. Aos que gostariam de admirar outros temas em torno de nosso santo, aconselho o livro *Orar*

15 dias com Santo Antônio (152 p.) da Editora Santuário. Ou *Santo Antônio – Mestre da Vida* (376 p.), também da Editora Santuário, uma coletânea de mais de mil pensamentos tirados dos Sermões e organizados em ordem alfabética.

Talvez seja bom lembrar alguns dados da vida de Santo Antônio: nasceu em Lisboa, Portugal, provavelmente em 1195. Faleceu em Pádua, Itália, no dia 13 de junho de 1231. Adolescente, entrou no mosteiro dos Cônegos Regrantes de Santo Agostinho. Formou-se em Sagrada Escritura. Ordenou-se padre e quis ser missionário na África. Como monge, era lhe impossível. Passou então para a Ordem Franciscana, trocando seu nome de batismo, Fernando, para o de Frei Antônio. Adoecendo gravemente, não pôde permanecer na África.

Na Itália foi um grande e carismático missionário popular, além de professor de teologia. Dono de voz privilegiada, fazia-se ouvir em campo aberto até por 30 mil pessoas. Fez muitos milagres em vida, inclusive estando em dois lugares diferentes ao mesmo tempo. A profusão de milagres depois de sua morte levou o Papa Gregório IX a canonizá-lo já em maio de 1232, antes mesmo de completar um ano de morto. Não escreveu nenhum livro, apenas esquemas de sermões, e isso foi suficiente para que o Papa Pio XII o declarasse "Doutor da Igreja".

É padroeiro dos estafetas, dos namorados, dos que procuram emprego, dos que perderam coisas, dos aflitos e desesperados, das causas difíceis, das crianças, do "pão dos pobres", dos que trabalham na assistência social e dos presos injustiçados. Santo Antônio é de longe o santo mais invocado no Brasil.

Frei Clarêncio Neotti, OFM

Siglas usadas

Atrás dos pensamentos e das orações rezadas por Santo Antônio, há uma sigla. Ela indica em que sermão se encontra o texto:

2Ad = Sermão para o Segundo Domingo do Advento.
3Ad = Sermão para o Terceiro Domingo do Advento.
An = Sermão para a festa da Anunciação.
As = Sermão para a festa da Assunção.
Cn = Sermão para a festa da Conversão de São Paulo.
Cs = Sermão para a Ceia do Senhor.
1Ep = Sermão para o Primeiro Domingo da Epifania.
Es = Sermão para a festa de Santo Estêvão.
2Pn = Sermão para o Segundo Domingo de Pentecostes.

4Pn = Sermão para o Quarto Domingo de Pentecostes.
6Pn = Sermão para o Sexto Domingo de Pentecostes.
7Pn = Sermão para o Sétimo Domingo de Pentecostes.
9Pn = Sermão para o Nono Domingo de Pentecostes.
11Pn = Sermão para o Décimo Primeiro Domingo de Pentecostes.
12Pn = Sermão para o Décimo Segundo Domingo de Pentecostes.
13Pn = Sermão para o Décimo Terceiro Domingo de Pentecostes.
Pr = Sermão para a festa da Purificação.
3Ps = Sermão para o Terceiro Domingo da Páscoa.
5Ps = Sermão para o Quinto Domingo da Páscoa.
6Ps = Sermão para o Sexto Domingo da Páscoa.
Qn = Sermão para o Domingo da Quinquagésima.
5Qr = Sermão para o Quinto Domingo da Quaresma.
Nt = Sermão para o Natal.

Primeiro dia

O santo da reconciliação

Introdução

Se fizeres a oferta da oração junto do altar da Santíssima Trindade e aí te recordares de que um irmão, o teu próximo, tem alguma coisa contra ti, se o lesaste por palavra ou ação, ou, então, se trazes no ânimo acerca dele seja o que for de mal, se está longe, vai, não com os pés, mas com o ânimo humilde prostrar-te na presença daquele a quem hás de fazer a oferta; se, porém, está presente, vai-lhe pessoalmente pedir perdão (*Santo Antônio, 6Pn*).

Meditação

Um dos grandes trabalhos de Santo Antônio foi reconciliar pessoas e famílias. A reconciliação é uma exigência para podermos pedir graças a Deus e para bem rezar. Estar de mal com alguém é estar de mal com Deus. Quando pedimos alguma coisa a Deus e estamos de mal com alguém, certamente Deus nos dirá: Vai primeiro reconciliar-te com teu irmão (Mt 5,24). A reconciliação tem três dimensões que se necessitam, que se exigem e têm o mesmo valor: a reconciliação com Deus, a reconciliação com o próximo, a reconciliação com nós mesmos. Quem tem essas três dimensões ordenadas, tem o coração pacificado e em condições de rezar.

Oração

Por meio de Jesus te rogamos, Pai, que nos concedas a graça da tua reconciliação e da reconciliação fraterna. Por tua graça reconciliados, possamos oferecer-te, ó Deus, as ofertas de louvor, juntamente com os santos anjos. Auxilia-nos tu, que és Deus trino e uno, bendito pelos séculos eternos. Diga toda a criatura: Assim seja! Aleluia! (*Santo Antônio, 6Pn*).

Súplica

Meu glorioso Santo, quero hoje depositar em vossas mãos meu coração. Queria que ele fosse terra boa para as sementes do bem e da paz. Mas tem pedregulho e muitas vezes atiro pedras nos outros e os machuco. Tem dureza que nem o chão de terra batida, e não consigo acolher quem precisa de mim. Tem espinhos que não me deixam falar com doçura e amizade fraterna. Consertai meu coração! Ponde nele a humildade que amacia a pedra dura, a bondade que suaviza os espinhos e o amor sem medida que não me deixa ver pecado em ninguém. Assim seja!

Sobre Santo Antônio

Terminada a pregação do santo, verificaram-se reconciliações de inimizades de morte, libertação de pessoas detidas há muito tempo, restituição de roubos e usuras, devolução de penhores e perdão de dívidas. Eram tantos que recorriam à penitência que não havia sacerdotes suficientes para ouvi-los em confissão (*Vida Segunda*, texto de 1235).

A Palavra

Perdoa ao próximo a injustiça cometida. Então, quando orares, teus pecados serão perdoados. Se alguém guarda rancor contra o próximo, como poderá buscar cura no Senhor? Se não tem compaixão de seu semelhante, como suplicará por suas próprias faltas? (Eclo 28,2-3).

Propósito

Se estou de mal com alguém ou se alguém está de mal comigo, irei hoje me reconciliar, não exigindo nenhuma reparação pelo mal, talvez, recebido.

Segundo dia

O santo do amor

Introdução

O amor de Deus alimenta a alma para crescer de virtude em virtude e dulcifica os espinhos de todas as tribulações (*Santo Antônio, 5Ps*).

Meditação

O amor não tem definição. O amor se vive. Todas as criaturas foram criadas por Deus com amor e para o amor. Não há pobreza maior que a falta de amor. Ele tem três dimensões: para Deus, para o próximo e para dentro de nós mesmos. As três dimensões devem equilibrar-se em tamanho e intensidade. Se esticamos uma das dimensões em prejuízo das outras, tornamo-nos fanáticos, e o fanatismo nos faz violentos e mata as raízes do amor. Jesus nos ensinou que o amor resume todas as leis e todos os ensinamentos. Assim como o corpo vem envolvido pela pele, as virtudes vêm envolvidas pelo amor. A maldade é a ausência do amor. Quem ama sente necessidade de fazer o bem. Nossa santidade tem o tamanho do nosso amor. Podemos dizer: quanto amamos, tanto valemos aos olhos de Deus.

Oração

Rogo-te, Senhor Jesus, que com teu amor me ligues ao próximo. Juntos, seremos capazes de te amar fortemente, isto é, com todo o nosso coração; de te amar alegremente, isto é, com todo o nosso espírito. Unidos ao teu amor, nunca nos afastaremos de ti, que és bendito para sempre. Amém! (*Santo Antônio, 13Pn*).

Súplica

Meu glorioso Santo, fostes um modelo de criatura que amou a Deus sobre todas as coisas e em todas as coisas vistes a presença do amor de Deus. Por amor a Deus vos fizestes tudo para todos e em todos encontrastes o vosso Senhor. Ensinai-me a sair do meu egoísmo, que me amarra aos meus interesses terrenos e não me deixa amar ao próximo, e por isso meu amor a Deus é tão pequeno e fraco. Sei que não posso amar a Deus, se não amo às pessoas da minha comunidade. Nem posso fazer comunidade com elas, se não amar a todas sem distinção. Estou fazendo esta trezena para pedir a vossa intercessão nas minhas necessidades. Mas sei que o que mais preciso é trocar meu egoísmo pelo amor. Sei que minha vitória nascerá do amor. Amém!

Sobre Santo Antônio

Desde o momento de sua morte, multidões acorreram e continuam a chegar à sua sepultura. Sua popularidade é tão grande e sua devoção é tão intensa que não há coisa parecida na Igreja. Ele está presente no coração de milhões de crentes e sua imagem se encontra em quase todas as igrejas do mundo. Muitos fiéis veem nele um mediador da benevolência divina. Isso nos leva a ver em

Santo Antônio um instrumento da bondade de Deus e uma chamada à presença amorosa de Deus entre nós, sobretudo nos momentos marcados pelo sofrimento (*Agostinho Gardin*, arcebispo).

A Palavra

Deus nos ama. Devemos também nos amar uns aos outros. Se nos amarmos uns aos outros, Deus permanece conosco, e seu amor é perfeito em nós (1Jo 4,11-12).

Propósito

Farei hoje uma oração especial por aqueles com quem ontem me reconciliei.

Terceiro dia

O santo da caridade

Introdução

Quem não ouve a palavra de Deus e não conhece a sua lei, que é a caridade, queima inutilmente o incenso da oração (*Santo Antônio, 5Qr* 4).

Meditação

Santo Antônio é muito forte na afirmação que fez sobre a caridade. Se não me abro à caridade é porque não ouço a palavra de Deus. Se isto acontecer, é inútil minha oração. Muitas pessoas se queixam que rezam muito e não são ouvidas por Deus. Examine como está a caridade do pensamento e da língua, a caridade da partilha dos bens, a caridade da presença amiga junto aos doentes, pobres e atribulados. Examine sua participação na comunidade. Examine também o tamanho de seu egoísmo, porque o egoísmo anula a caridade. A oração do egoísta fica presa ao próprio umbigo, não sobe para Deus. Santo Antônio chega a dizer: A caridade é o único laço que amarra até o próprio Deus.

Oração

Roguemos ao Senhor Jesus Cristo que nos infunda a sua misericórdia, a fim de termos misericórdia para conosco e para com os outros. E não julguemos nem condenemos ninguém. Perdoemos aos que pecam contra nós e demos a todos os que nos pedem o que temos e o que somos. Isto se digne conceder-nos aquele que é bendito e glorioso pelos séculos dos séculos. Assim seja! (*Santo Antônio, 4Pn*).

Súplica

Meu glorioso Santo, vós abristes vosso coração a todos os necessitados e com eles repartistes vossas alegrias e tristezas, vosso saber e o pão de vossa mesa. Vossa fé se fez misericórdia. Vossa caridade plantou muita esperança nos que vos procuraram no meio do desespero, da dúvida e do sofrimento. Sei que a caridade anda junto com a esperança e a fé. Sei que a caridade é a alma da fé, como a alma é a vida do corpo. Que eu tenha um coração generoso. Que minha fé floresça na alegria e frutifique com abundância. E que eu sinta em minha vida a riqueza da misericórdia divina. Amém!

Sobre Santo Antônio

Os milagres lidos e aprovados solenemente no dia da Canonização, encontrei-os descritos num amplo tratado com os nomes das pessoas e as diversas circunstâncias em que se verificaram. Aí se encontra o relato de dezenove aleijados de vários modos curados; cinco paralíticos restabelecidos e outros tantos curados de deformidades; seis cegos que recuperam a vista; abertos os ouvidos de três surdos e soltas as línguas de outros três mudos; dois libertados da loucura, dois de febres inexplicáveis e, por fim, dois mortos miraculosamente ressuscitados (*Vida Segunda*, texto de 1235).

A Palavra

Não desvies tua face de nenhum necessitado e assim não se desviará de ti a face de Deus. Dá do teu pão a quem tem fome e de tuas vestes aos que estão despidos. Dá de esmola todo o teu supérfluo (Tb 4,7.16).

Propósito

Irei hoje à minha paróquia e escreverei numa folha as pastorais voltadas à caridade e ao serviço social. Depois decidirei em qual delas serei voluntário.

Quarto dia

O santo dos pobres

Introdução

Dá aos pobres o que sobra de alimento e vestido. Se o que tiver bens neste mundo, depois de guardado o necessário para o alimento e o vestido, vir a seu irmão, pelo qual Cristo morreu, padecer necessidade, deve dar-lhe o que sobeja. E se não dá e fecha o coração a seu irmão pobre, digo que peca mortalmente, porque não existe nele a caridade de Deus (*Santo Antônio, 2Pn*).

Meditação

A generosidade para com os pobres nos é ensinada no Antigo e no Novo Testamento. No Evangelho torna-

-se um mandamento, já que o Filho de Deus assumiu o estado de pobre e fez do desprendimento dos bens a principal condição para segui-lo como discípulo. A pobreza tem dois lados: um nos leva a partilhar com os necessitados o que temos e somos; o outro nos leva a fazer-nos pobres, viver com o suficiente, por causa de Jesus, que assumiu a pobreza como regra de vida. Santo Antônio é modelo das duas pobrezas: distribuía aos pobres o que recebia e ele vivia como pobre. Foi conhecido já em vida como "pai dos pobres" e depois da morte continua sendo invocado como pai dos necessitados de comida, roupa, consolo e justiça.

Oração

Encontrareis uma criança: significa encontrareis a sabedoria a balbuciar, o poder frágil, a majestade curvada, o imenso pequenino, o rico pobrezinho, o senhor dos anjos num estábulo, o alimento dos anjos quase feno de jumentos, o inabrangível reclinado numa estreita manjedoura. Este é para vós o sinal. Pelo Verbo encarnado, pelo Salvador nascido pobre seja dada glória a Deus Pai nas alturas e paz na terra aos homens amados por Deus. Amém! (*Santo Antônio, Nt*).

Súplica

Meu glorioso Santo, fostes pobre com os pobres, porque Jesus se fez pobre. Muitas vezes, nos sermões dissestes que ninguém é rico de Deus, se não se fizer pobre como Jesus. Por isso pedistes aos usurários, aos gananciosos, aos avarentos, que repartissem o supérfluo com os pobres; e pedistes aos religiosos que repartissem também o supérfluo, ficando apenas com o necessário para viver com alegria e confiança. Meu coração está cheio de cobiça. Sinto fome de ter sempre mais. Abaixai meus olhos gananciosos e fazei-me ver o berço de Belém. Levantai meus olhos insaciáveis e fazei-me ver a nudez da cruz. Amém.

Sobre Santo Antônio

É difícil encontrar uma cidade ou um povoado do mundo católico em que não haja ao menos um altar ou uma imagem do santo. Seu rosto sereno ilumina com seu sorriso suave milhões de casas cristãs, onde, por seu intermédio, a fé alimenta a esperança na Providência do Pai celestial. Os que creem, sobretudo os mais humildes, pobres e indefesos, consideram-no um santo sempre pronto a atender e um poderoso intercessor em seu favor (*João Paulo II*, texto de 1982).

A Palavra

Se houver em teu meio um necessitado, não endureças o coração nem feches a mão para o irmão pobre. Porque sempre haverá pobres, eu te dou este mandamento: abre a mão para o necessitado e para o pobre (Dt 15,7.11).

Propósito

Separarei e darei a um asilo as roupas que há mais de um ano não uso.

Quinto dia

O santo do evangelho

Introdução

Que os pobres sejam evangelizados e os povos sejam salvos pelo Evangelho. Assim, o Senhor ouvirá a glória do seu louvor na alegria do seu coração (*Santo Antônio, 2Ad*).

Meditação

Santo Antônio é tido como um dos maiores pregadores de todos os tempos. Dele temos mais de duas mil páginas de esquemas de sermões, mas não são os sermões pronunciados por ele, mas modelo para os estudantes de teologia de como podemos preparar um sermão. Santo Antônio tinha voz poderosa. Conseguia fazer-se ouvir por 30 mil pessoas reunidas na praça. Tinha muita facilidade de se adaptar aos ouvintes. Mas tinha, sobretudo, facilidade em expor as verdades da fé. Pio XII declarou-o Doutor da Igreja e lhe deu o título de "Doutor do Evangelho". João Paulo II, em 1994, disse de Santo Antônio: "Ele ensinou de maneira eminente, fazendo do Cristo e do Evangelho uma referência constante da vida quotidiana e das opções morais, particulares e públicas, sugerindo a todos que alimentem nesta fonte a coragem de um anúncio coerente e atraente da mensagem da salvação". A título de curiosidade: em seus sermões, Santo Antônio cita 3.700 vezes o Antigo Testamento e 2.400 vezes o Novo.

Oração

Senhor e Mestre, Bom Jesus, rogo-te que ilumines os cegos com a luz da tua verdade, mostres aos teus discípulos o caminho da vida, tu que és para nós caminho, verdade e vida, e és bendito agora e para sempre. Amém! (*Santo Antônio, 4Pn*).

Súplica

Meu glorioso Santo, eu preciso muito de vossa ajuda. Mas preciso, sobretudo, aprender de vós a amar ao Evangelho, que é a pessoa divina e humana de Jesus e seus ensinamentos. Vós fizestes do Evangelho vossa única norma de vida. E porque tanto amastes a Jesus e sua Palavra, tínheis tanta facilidade de pregar e explicar o Evangelho ao povo. A multidão vos escutava atenta. Preciso orientar minha vida pelo Evangelho e dele fazer minha única verdade. Preciso me alimentar todos os dias à mesa da Palavra de Deus. Posso e quero aprender isto de vós. Amém!

Sobre Santo Antônio

Santo Antônio dedicou-se à atividade evangelizadora e procurou desempenhá-la com toda a eficiência. Quase não dando descanso ao corpo, percorria cidades, aldeias e castelos, defrontando os incrédulos, exortando os fiéis, estimulando os tíbios; com sua palavra ao mesmo tempo extremamente fluente e apaixonada, dispensava a cada um os ensinamentos e conselhos mais apropriados (*Diálogo*, texto de 1245).

A Palavra

Evangelizar não é para mim motivo de orgulho. É uma necessidade. Ai de mim se não evangelizar! (1Cor 9,16).

Propósito

Comprarei e entregarei à Pastoral da Catequese de minha paróquia um exemplar (ou mais, se puder) da Bíblia, para ser doado a quem ainda não a tem.

Sexto dia
O santo da eucaristia

Introdução

Deve-se firmemente crer e de coração confessar que aquele corpo, que nasceu da Virgem, pendeu na cruz, esteve no sepulcro, ressuscitou ao terceiro dia, subiu ao céu à direita do Pai, deu-se no pão e no vinho aos Apóstolos na Última Ceia, a Igreja o confecciona todos os dias verdadeiramente no altar e o distribui aos seus fiéis (*Santo Antônio, Cs*).

Meditação

No tempo de Santo Antônio, havia grupos heréticos que não acreditavam na presença real de Jesus na Eucaristia.

Uns diziam que se tratava de uma presença apenas simbólica. Outros diziam que era indigno de Deus deixar-se ficar no pão, que é coisa material, já que Deus é puro espírito. Santo Antônio volta a esta verdade em vários sermões, porque para Deus nada é impossível: Jesus está tão presente na Eucaristia, como esteve no útero de Maria. Jesus, que está presente na Eucaristia, é o mesmo que andou pelas estradas da Palestina. É o mesmo que morreu na cruz e ressuscitou na Páscoa. Há diferentes formas de presença. Mas Jesus é o mesmo: Deus e homem, homem e Deus. Não podem chamar-se cristãs as igrejas que não têm a Eucaristia.

Oração

Rogo-te, Senhor Jesus, que me limpes da lepra do pecado, que me sacies com o pão da tua graça e me assentes um dia à tua mesa celestial. Amém! (*Santo Antônio, 7Pn*).

Súplica

Meu glorioso Santo, fostes um padre franciscano. Imagino com quanta devoção celebrastes diariamente a missa e com quanto ardor pregastes ao povo sobre o Sacramento da Eucaristia. Um dia até fizestes uma mula dobrar os joelhos diante da Hóstia Consagrada, para ensinar ao povo que no Pão consagrado está verdadeiramente presente Jesus salvador e glorioso. Nesta trezena, quero renovar minha fé na presença de Jesus na Eucaristia, que ele mesmo chamou de "Pão vivo descido do céu". Sei que na Comunhão encontro o alimento suficiente para superar minhas dificuldades e um dia alcançar, como vós alcançastes, a graça de me assentar à mesa celestial. Amém!

Sobre Santo Antônio

Como digno e fiel discípulo de São Francisco, que era todo amor e fervor por Jesus sacramentado, Antônio nutriu sempre a mais tenra e profunda devoção para com a Eucaristia. Ao longo de sua curta vida, procurou difundi-la e implantá-la no coração dos fiéis. Defendeu o quanto pôde a presença de Cristo no augusto Sacramento contra os fanáticos, céticos e ateus (*Leonardo Lehmann*, texto de 2002).

A Palavra

Eu sou o pão vivo descido do céu. Se alguém comer deste pão viverá para sempre. O pão que eu darei é minha carne para a vida do mundo (Jo 6,51).

Propósito

Hoje, ficarei ao menos 15 minutos de joelhos diante do tabernáculo da Eucaristia em adoração.

Sétimo dia

O santo de Maria

Introdução

Ó inestimável dignidade de Maria! Ó inenarrável sublimidade da graça! Ó inescrutável profundidade da misericórdia! Nunca tanta graça nem tanta misericórdia foram, nem podem ser, concedidas a um anjo ou a um homem, como a Maria Virgem Santíssima, que Deus Pai quis fosse mãe de seu próprio Filho, igual a si, gerado antes de todos os séculos! Verdadeiramente superior a toda graça foi a graça de Maria Santíssima, que teve um filho com Deus Pai e por esse motivo mereceu ser na Assunção coroada no céu (*Santo Antônio, As*).

Meditação

Santo Antônio tem vários sermões marianos: Natividade, Anunciação, Visitação, Apresentação de Jesus no Templo, Assunção. E tem referências teológicas carinhosas para com ela nos sermões do Advento e Natal. Sua devoção preferida era Nossa Senhora da Glória, ou seja, o mistério da Assunção de Maria ao céu. Ele morreu cantando a antífona mariana: "Ó gloriosa Senhora, elevada acima dos astros". Era firme e seguro ao falar da maternidade divina e virginal de Maria. Era claro ao derivar da maternidade divina todos os outros privilégios marianos. Chama-a carinhosamente de glória das estrelas, favo de mel, vaso maciço de ouro, açucena, encanto dos anjos.

Oração

Senhora nossa, nossa única esperança, nós vos suplicamos que iluminei as nossas mentes com o esplendor da vossa graça, que nos purifiqueis com o candor da vossa pureza, que nos abraseis com o calor da vossa visita e que nos reconcilieis com o vosso Filho, para que possamos merecer alcançar o esplendor da sua glória, com o auxílio dele que, com o anúncio do anjo, assumiu de vós carne e quis habitar por nove meses no vosso ventre. A ele a honra e a glória pelos séculos eternos. Amém! (*Santo Antônio, An*).

Súplica

Meu glorioso Santo, carregais o Filho de Maria em vossos braços. Nas vossas pregações sempre mostrastes Jesus ao povo; Jesus nascido da Virgem Maria por obra e graça do Espírito Santo; Jesus enviado pelo Pai para tirar o pecado do mundo e refazer os caminhos da vida eterna a todos os mortais; Jesus morto na cruz momentos depois de nos dar sua Mãe como nossa mãe. Sois um modelo de filho. Sois um exemplo de filho que confia na bondade, no poder e na misericórdia de Maria. Usando vossas palavras, quero dizer a Maria, nossa Mãe: não sou órfão, porque tenho minha Mãe Maria e meu irmão Jesus. Amém!

Sobre Santo Antônio

Sua mariologia é luminosa, toda cheia de alegria, de calor, de vida, pervadida de especial espírito místico, piedosa, afetiva, tanto voltada à contemplação e admiração de Maria quanto à imitação de suas virtudes. Sua doutrina mariana é forte e vem revestida de estilo florido e criativo, com exemplos e figuras tomadas da natureza e sempre à luz da Bíblia (*Cardeal Ângelo Sodano*, texto de 1995).

A Palavra

Junto à cruz de Jesus estava de pé sua Mãe. Vendo a Mãe e perto dela o discípulo amado, Jesus disse à sua mãe: Mulher, aí está o teu filho (Jo 19,25.26).

Propósito

Em homenagem a Maria, hoje visitarei (ou ao menos telefonarei) para uma pessoa acamada.

Oitavo dia

O santo da humildade

Introdução

A humildade é a mãe e a raiz de todas as virtudes. Quem reúne virtudes sem humildade se assemelha a quem transporta pó ao vento (*Santo Antônio, 3Ps*).

Meditação

Santo Antônio falou muito da humildade em seus sermões. Mesmo porque o orgulhoso é incapaz de rezar, incapaz de pedir ajuda, incapaz de partilhar bens, incapaz de fazer comunidade, incapaz de se arrepender, incapaz de entender (e muito menos de imitar) os passos de Jesus no Evangelho, que são todos passos dentro da humildade. O orgulho, também chamado soberba, é a raiz de todos os pecados, ou seja, é exatamente o contrário da humildade. Para Santo Antônio a humildade é o melhor remédio para curar os chamados pecados capitais: soberba, avareza, luxúria, ira, gula, inveja e preguiça. A humildade não vem mencionada entre as virtudes teologais e cardeais nem entre os sete dons do Espírito Santo. Isto porque a humildade envolve todas elas e é condição para se receber os dons do Espírito Santo. A humildade e o desapego são dois temas que voltam em todos os sermões de Santo Antônio.

Oração

Pai, no teu Filho, humilhado, pobre e peregrino, tu me ensinaste a humildade. Ele foi humilhado no ventre da Virgem; foi pobre na estrebaria de animais; foi peregrino no alto da cruz. De fato, nada humilha tanto o pecador soberbo como a humilhação da humanidade de Jesus Cristo. Amém! (*Santo Antônio, Qn*).

Súplica

Meu glorioso Santo, lembrastes muitas vezes nas vossas pregações a humildade do Filho de Deus em Belém, no Batismo, na Paixão, na Cruz e em tantos outros momentos de sua vida terrena. Lembrastes que ele mesmo se apresentou como exemplo de humildade, quando nos aconselhou: Aprendei de mim que sou manso e humilde de coração (Mt 11,29). Lembrastes o grande gesto de Jesus na Última Ceia: ajoelhou-se aos pés dos apóstolos e lhes lavou os pés, e lhes pediu que repetissem o comportamento humilde. Dai-me por alguns momentos o Menino Deus que trazeis no colo, para que ele me purifique do orgulho e da vaidade e me faça perceber que só um coração humilde é terra boa para receber as graças e as bênçãos do céu. Amém!

Sobre Santo Antônio

Santo Antônio se esforçou sobremaneira para conquistar a virtude cristã da humildade, fundamento de todas as virtudes e sem a qual é impossível caminhar na estrada da perfeição e, muito menos, alcançar as alturas da santidade (*Pio XI*, texto de 1931).

A Palavra

Deus resiste aos soberbos, mas aos humildes concede a graça. Aproximai-vos de Deus e ele se aproximará de vós. Limpai as mãos, pecadores, purificai os corações! Humilhai-vos diante do Senhor e ele vos exaltará (Tg 4,6.8.10).

Propósito

Hoje, vou visitar (ou ao menos telefonar) as pessoas que perdoei no primeiro dia da Trezena.

Nono dia

O santo da paciência

Introdução

Se resolves ir à feira das tribulações, onde se vendem as verdadeiras riquezas, vê antes se tens na bolsa do teu coração o preço da paciência e da alegria, com que possas comprar. Se não tiveres a paciência e a alegria, eu te aconselho não ires, porque voltarás sem nada (*Santo Antônio, 9Pn*).

Meditação

A paciência pode ter vários sentidos. Pode referir-se ao suportar com serenidade as tribulações, o cansaço, o sofrimento, a diversidade de opiniões, a ingratidão. Pode, também, referir-se ao enfrentar, sempre com serenidade, os ataques à fé, às dificuldades para crescer nas virtudes, ao longo e tortuoso caminho da santidade, à espera dos tempos de Deus (que são diferentes dos nossos). A maior de todas as paciências é o enfrentamento do martírio. Santo Antônio gostava de aproximar a virtude da paciência às virtudes da fortaleza e da perseverança, sobretudo à humildade e à alegria. Todos sabemos por experiência que a alegria alimenta fartamente a paciência.

Oração

Peçamos ao Senhor Jesus Cristo que não nos esconda sua face e não saia do templo do nosso coração. Mas que nos infunda sua graça, para que diligentemente ouçamos sua palavra; que nos conceda paciência na injúria sofrida; que nos livre da morte eterna e nos glorifique no seu reino. Ajude-nos ele mesmo, a quem são devidos honra e poder, pelos séculos dos séculos. Diga toda a Igreja: Amém! (*Santo Antônio, 5Qr*).

Súplica

Meu glorioso Santo, muitas vezes pregastes sobre a paciência de Jesus Cristo. Paciência diante da dureza de coração dos fariseus. Paciência diante da má vontade de quem vos procurava para vos pôr à prova. Paciência diante da pressa dos apóstolos em ver o triunfo do Messias. Paciência diante da traição de Judas e da fuga dos apóstolos. Paciência diante da calúnia. Paciência nos açoites e coroação de espinhos. Paciência em carregar a cruz e em ser nela pregado. Paciência diante dos insultos no Calvário. Paciência à espera da morte. Meu glorioso Santo, vós fostes grande imitador da paciência de Jesus. Vossa vida está cheia de momentos suportados com paciência e alegria. Abraçastes a morte cantando. Abençoai hoje meu coração necessitado de paciência e alegria. Amém!

Sobre Santo Antônio

Que paciência deve ter tido Santo Antônio ao suportar que devotas lhe cortassem pedaços do hábito, num tempo em que nenhum frade tinha mais que uma túnica! Que paciência deve ter tido Santo Antônio ao atender durante horas seguidas às confissões, depois de duas horas de sermão, explicando virtudes, vícios, verdades! Que paciência deve ter tido Santo Antônio, quando dezenas de pobres lhe pediam comida e dezenas lhe pediam a cura de doenças!

A Palavra

Tomai como modelo de paciência os profetas que falaram em nome do Senhor. Vós sabeis que proclamamos felizes os que suportam os sofrimentos (Tg 5,10-11).

Propósito

Hoje, farei uma surpresa/alegria a uma pessoa enferma.

Décimo dia

O santo da família

Introdução

O matrimônio não desvia ninguém da santidade. Seu abuso, sim. Quem casa deve ter três finalidades: a procriação, a mútua ajuda e o equilíbrio sexual (*Santo Antônio, 2Pn*).

Meditação

Santo Antônio pregou muito mais sobre as núpcias de Deus com a humanidade do que sobre o casamento entre homem e mulher. Sua fama de casamenteiro provém da grande defesa que fez do direito de todas as moças noivarem e casarem. O ditador Ezelino, que governava o norte da Itália, baixara um decreto: só as moças que podiam pagar determinado dote podiam casar-se. Com isso, o ditador condenava as moças pobres a serem as prostitutas baratas dos ricos. Santo Antônio procurou o ditador e com palavras muito fortes conseguiu a revogação do decreto. Até hoje, o povo agradece a defesa do direito ao casamento de todas as mulheres. A Igreja sempre defendeu o casamento como caminho normal de uma família. É um sacramento. Nele se santificam o homem e a mulher. A Igreja considera a indissolubilidade do matrimônio uma lei divina.

Oração

Imploremos humildemente a Jesus que nos conceda celebrar as bodas, encher as seis talhas de água, para que nas núpcias de Jerusalém celeste mereçamos beber, juntamente com ele, o vinho do gozo eterno. Diga toda a alma, esposa do Espírito Santo. Assim seja! (*Santo Antônio, 1Ep*).

Súplica

Meu glorioso Santo, abençoai nossas famílias para que elas sejam um lugar de amor, de partilha, de mútua compreensão e de crescimento. Afastai de nossas famílias a divisão provocada pelo egoísmo, que impede nossas casas serem uma comunidade de vida e de amor. Protegei o namoro dos nossos jovens, para que aprendam a transformar as diferenças existentes em riqueza da família e fortalecimento da maturidade. Vós nascestes numa família feliz. O Menino que tendes nos braços é filho da família mais santa que houve na terra. Que ele esteja sempre presente em nossas famílias, como um filho e irmão nosso. Amém!

Sobre Santo Antônio

Santo Antônio, sal da terra. Uma das qualidades do sal é preservar, é não ser desabrido. Que santo foi mais afável? Que santo foi mais benigno? Que santo foi mais familiar? Que santo existe com braços tão amorosos que Deus, descido do céu, neles repouse tão docemente? (*Padre Antônio Vieira*, texto de 1642).

A Palavra

Abre tua boca em favor do mudo, pela causa de todos os desvalidos. Abre tua boca e dá sentença justa, e faz justiça ao pobre e ao indigente (Pr 31,8-9).

Propósito

Vou hoje pensar em três pontos que dependem de mim para tornar minha família mais unida e mais feliz.

Décimo primeiro dia

O santo das coisas perdidas

Introdução

Ao nasceres não tinhas sacola com bens, nasceste nu. Na morte te cobrirão com um lençol. Por que te preocupas em amontoar bens? Por que corres atrás do perdido? Não te pertence o que não podes levar contigo na hora da morte (*Santo Antônio, 11Pn* e *Es*).

Meditação

São muitos os que rezam a Santo Antônio para achar coisas perdidas. E, de fato, ele as encontra. A razão principal dessa fama deve ser a facilidade que tinha Santo Antônio em achar as almas perdidas e retrazê-las ao rebanho para a alegria do Pai do Céu. Poucos santos tiveram tanto jeito de converter pecadores e fazê-los caminhar a estrada da santidade. Um dia um bando de 12 ladrões chegou à praça onde pregava Santo Antônio para roubar o povo. Mas antes que roubassem, Santo Antônio, com sua palavra de pastor, converteu-os um a um e nenhum deles voltou ao crime. Quem pode achar uma alma transviada, pode com muito mais facilidade achar uma coisa perdida.

Oração

Senhor Jesus, não abandoneis para sempre as almas dos vossos pobres. Sem vós, vão se perder. Se se perderem, buscai-os, porque são ovelhas do vosso rebanho. São propriedade vossa. Guiadas por vós, chegarão ao fim convosco para participar da festa (*Santo Antônio, 12Pn*).

Súplica

Meu glorioso Santo, o Evangelho nos conta da moeda perdida, que foi encontrada, e da ovelha perdida, que o Pastor procurou e trouxe de volta sobre os ombros. O próprio Jesus disse que veio ao mundo para encontrar o que estava perdido. Muitas vezes me ajudastes a achar coisas que eu havia perdido ou esquecido. Obrigado por essa preciosa ajuda. Mas hoje quero pedir vossa intercessão permanente para eu nunca perder o bom senso, que me faz encontrar sempre de novo o caminho certo; nunca perder a fé, que é a luz que ilumina meus passos; nunca perder a esperança, que reaviva diariamente a minha vida; nunca perder as boas amizades, que me fazem viver feliz; e nunca perder a certeza de que posso sempre contar convosco. Amém!

Sobre Santo Antônio

Ser Santo Antônio entre todos os santos o achador das coisas perdidas é uma graça tão singular e um privilégio tão soberano que, parece, Deus deu a Santo Antônio melhor ofício do que tomou para si. Deus, como autor de todos os bens, é o que os dá; e quando esses bens se perdem, Santo Antônio, como deparador, é o que os recupera; e não há dúvida de que todas as coisas são mais estimadas de maior gosto quando se recuperam depois de perdidas que quando se possuem sem se perderem (*Padre Antônio Vieira*, texto de 1657).

A Palavra

A saúde e a boa disposição valem mais que todo o ouro; e um espírito vigoroso, mais que uma imensa fortuna. Não há riqueza preferível à saúde nem há felicidade superior à alegria do coração (*Eclo* 30,15-16).

Propósito

Vou sair do clube dos pessimistas. O mundo não está perdido. Está tão cheio de santos e pecadores como no tempo de Santo Antônio. Eu preciso me converter.

Décimo segundo dia

O santo do bom senso

Introdução

Já nos lembrava o Livro dos Provérbios: feliz o homem de bom senso, porque a sabedoria está com ele. O bom senso vale mais que prata e ouro e todas as pérolas. Quem tem bom senso, caminhará por estradas seguras. Quem não tem bom senso, estará sempre em perigo (*Santo Antônio, 6Ps*).

Meditação

O bom senso na Bíblia é chamado muitas vezes de prudência, enumerada entre os dons do Espírito

Santo. Tem bom senso quem tem o "juízo no lugar". O bom senso equilibra nosso comportamento, nossos julgamentos, nossas decisões. Santo Antônio refere-se a ele como o fundamento natural de todas as qualidades humanas. A beleza do corpo e o vigor físico perdem o sentido, se falta o bom senso. Ninguém confia em quem não tem bom senso. Posso até dizer que quem não tem bom senso é incapaz de praticar uma ação meritória e incapaz até de pecar. Porque o bom senso tem a ver com a nossa consciência, soberana no balanço entre o bem e o mal.

Oração

Peçamos humildemente ao Senhor Jesus que nos conceda alegrar-nos só nele, viver modestamente, pospor a inquietação e manifestar-lhe todas as nossas necessidades, a fim de que, protegidos por sua paz, possamos um dia viver na pacífica Jerusalém celeste. E diga toda alma pacífica: Amém! (*Santo Antônio, 3Ad*).

Súplica

Meu glorioso Santo, o mundo anda necessitado de bom senso. Se tivéssemos mais bom senso, não teríamos guerras com tantas mortes, crianças e adultos morrendo de fome, vendedores de drogas que sabem que estão vendendo a desgraça e a morte. Como pode existir gente que desvia para si as verbas destinadas a hospitais? São pessoas desequilibradas, que perderam também a vergonha e a responsabilidade social. Vós, que libertastes o povo do vosso tempo do flagelo da usura e da exploração dos pobres, defendei-nos hoje da violência, do comércio das armas e da insensibilidade diante do sofrimento humano. Sem perder a doçura de vossos olhos, levantai a voz contra os insensatos de hoje. Do bom senso de todos, virá a paz da comunidade, o progresso e a alegria de viver. Amém!

Sobre Santo Antônio

Em todas as suas pregações, nas conferências especiais ao clero, a quem o procurasse para pedir conselho ou fazer a confissão dos pecados, era sempre um homem de muito bom senso. Ele procurava essa virtude de tal maneira que, podemos dizer, tudo o que fazia era temperado com o sal do bom senso (*Benignitas*, texto de 1280).

A Palavra

O íntimo do insensato é como um vaso quebrado: não retém nada. E se recebe um conselho sábio, o rejeita (*Eclo* 21,17-18).

Propósito

Farei hoje um balanço sobre minha verdadeira participação na comunidade. Alguma coisa está errada em mim, se tenho motivos para me distanciar da comunidade.

Décimo terceiro dia

O santo dos animais

Introdução

Davi se gloria de ter matado um leão e um urso. O leão designa a soberba, o urso, a luxúria. Matar em si essas duas coisas exige muito trabalho. Repare que Davi põe primeiro o leão e depois o urso, porque, se primeiro não é domada a soberba do coração, a luxúria da carne não será vencida (*Santo Antônio, Pr*).

Meditação

Santo Antônio cita 99 diferentes animais. Alguns voltam mais vezes nos sermões. Ora o animal é proposto como modelo para o homem, que procura a virtude, ora como retrato de quem mergulha nos vícios. Homem e animal são criaturas de Deus e devem, cada um a seu modo, glorificar seu criador. Santo Antônio conheceu vários livros que falavam da simbologia dos animais. Há animais que lembram Maria, virgem e mãe (o elefante, por exemplo). Há os que lembram Jesus (o abutre, porque come carne podre, como Jesus destrói o pecado). Sem esquecer a famosa pregação aos peixes e o jumento que dobrou os joelhos diante da Hóstia Consagrada.

Oração

A pantera é de beleza admirável. O seu odor é de tamanha suavidade, que supera todos os aromas. Por isso, quando os outros animais percebem sua presença, seguem-na encantados. De quanta beleza e suavidade és tu, Senhor Jesus! Todos os bem-aventurados te contemplam e seguem. Os Apóstolos te seguiram imediatamente. Também nós queremos te seguir, como criaturas ao Criador; como filhos ao Pai; como famintos ao Pão vivo; como sequiosos à fonte; como enfermos ao médico; como exilados ao paraíso (*Santo Antônio, Cn*).

Súplica

Meu glorioso Santo, peço a bênção para todos os animais, os mansos e os bravios, os que nos servem e os que nos amedrontam. E como tendes o Menino no colo, quero agradecer ao boi e ao burro, que fizeram companhia à Santa Família na gruta de Belém. Sem esquecer o cordeirinho, que o pastor levou para lembrar que Jesus estava destinado ao matadouro da cruz. Posso aprender do cordeiro a paciência no sofrimento. O boi, que rumina, recorda-me que eu preciso contemplar as coisas de Deus. E o burro me ensina que as glórias do mundo, como a entrada triunfal em Jerusalém, não é meta para o discípulo de Jesus. Termino minha oração com uma expressão vossa: Honra e glória Àquele que nos criou, pelos séculos sem fim. Amém!

Sobre Santo Antônio

Todos os elementos da natureza descritos ou evocados por Santo Antônio são interpretados de forma simbólica e ligados a lições de espiritualidade ou, muitas vezes, de moral. Neste ponto o Santo é plenamente fiel à concepção cristã e medieval, que considerava a natureza um sinal ou um símbolo das realidades divinas, um espelho de Deus, um livro escrito com sua própria mão (*Fernando Uribe*, texto de 2002).

A Palavra

Baleias e peixes, bendizei o Senhor! Pássaros do céu, bendizei o Senhor! Feras e rebanhos, bendizei o Senhor! (Dn 3,79-81).

Propósito

Refletirei hoje até que ponto esta frase de São Francisco me diz respeito: "As criaturas todas que estão debaixo do céu, a seu modo, conhecem e servem e obedecem ao seu Criador melhor do que tu".

Orações à escolha

Bênção de Santo Antônio
(Se o dirigente for sacerdote)

D. O Senhor esteja convosco!
T. Ele está no meio de nós!
D. O nosso auxílio está no Nome do Senhor!
T. Que fez o céu e a terra!
D. Rogai por nós, glorioso Santo Antônio!
T. Para que sejamos dignos das promessas de Cristo!

D. Pela imposição de minhas mãos e a invocação de todos os santos, especialmente de Santo Antônio, Deus todo-poderoso, nosso Pai, vos abençoe!
T. Amém!

D. Que vos dê a saúde do corpo e do espírito!

T. Amém!

D. Que vos dê a alegria de viver na sua presença!

T. Amém!

D. Que vos conceda a solução de todos os vossos problemas pessoais, conjugais, familiares e comunitários!

T. Amém!

D. Que vos ajude na segurança do emprego e do salário!

T. Amém!

D. Que vos proteja de toda a violência e desgraça!

T. Amém!

D. Que vos enriqueça com a paz e todo o bem!

T. Amém!

D. Que vos conceda a felicidade na terra e a glória no céu!

T. Amém!

D. Afastem-se para longe de vós todos os inimigos da salvação, porque venceu a morte e o pecado Jesus, o Filho de Deus, descendente de Davi. Este é o seu sinal, esta é a Cruz do Senhor: (†) Em nome do Pai, do Filho e do Espírito Santo!

T. Amém!

Pai nosso...

Bênção de Santo Antônio

(Se o dirigente não for sacerdote)

D. O Senhor esteja convosco!
T. Ele está no meio de nós!
D. O nosso auxílio está no Nome do Senhor!
T. Que fez o céu e a terra!
D. Rogai por nós, glorioso Santo Antônio!
T. Para que sejamos dignos das promessas de Cristo!

D. Supliquemos a Deus, Pai de infinita misericórdia que nos conceda, por intercessão de Santo Antônio, as graças e as bênçãos de que precisamos:

D. Para que sejamos fiéis às promessas do nosso Batismo:
T. Santo Antônio, intercedei por nós!
D. Para que sejamos corajosos em testemunhar nossa fé:
T. Santo Antônio, intercedei por nós!
D. Para que sejamos fortes na esperança:
T. Santo Antônio, intercedei por nós!

D. Para que sejamos generosos na caridade:

T. Santo Antônio, intercedei por nós!

D. Para que sejamos solícitos para com os pobres e doentes:

T. Santo Antônio, intercedei por nós!

D. Para que sejamos pacíficos em nosso comportamento:

T. Santo Antônio, intercedei por nós!

D. Para que sejamos justos e corretos em nossas ações:

T. Santo Antônio, intercedei por nós!

D. Para que sejamos filhos obedientes da Mãe Igreja:

T. Santo Antônio, intercedei por nós!

D. Para que sejamos cumpridores de nossos deveres:

T. Santo Antônio, intercedei por nós!

D. Para que sejamos contados um dia entre os santos de Deus:

T. Santo Antônio, intercedei por nós!

Rezemos: Deus, que concedeu a Santo Antônio tão alto grau de santidade e o enriqueceu com o poder de ajudar os humildes e necessitados, abençoe, por sua intercessão, nossas pessoas, nosso trabalho, nossa vida. Conceda-nos a saúde e todas as graças de que precisamos para bem servir o Senhor. Em nome do Pai, do Filho e do Espírito Santo. Amém!

Pai nosso...

Bênção do Pão de Santo Antônio

Senhor Deus, Pai santo, eterno e todo-poderoso, abençoai este pão, pela intercessão de Santo Antônio que, por sua pregação e exemplo, distribuiu o pão da vossa Palavra aos vossos fiéis.

Este pão recorde aos que o comerem, guardarem ou distribuírem com devoção, o Pão que o vosso Filho multiplicou no deserto para a multidão faminta, o Pão do Céu que nos dais todos os dias no mistério da Eucaristia.

Fazei que este pão nos lembre do compromisso para com todos os nossos irmãos necessitados do alimento corporal e espiritual, necessitados do pão da amizade, da compreensão e do amor fraterno.

Por Nosso Senhor Jesus Cristo, vosso Filho, Pão vivo que desceu do céu e dá a vida e a salvação ao mundo, na unidade do Espírito Santo. Amém!

Bênção dos Lírios de Santo Antônio

Ó Deus nosso Pai, Criador do gênero humano, que amais a pureza do coração e a sinceridade e concedeis bênçãos espirituais e a salvação aos que em vós confiam, abençoai estes lírios, que hoje vos apresentamos em honra do vosso Confessor e nosso Doutor Santo Antônio.

Que estes lírios ajudem a suscitar as virtudes da fé, da esperança e da caridade em vossos fiéis e a curar as suas enfermidades do corpo e do espírito.

Aos que os expuserem com devoção em suas casas, nos lugares de trabalho ou em seus carros, ou os trouxerem consigo com espírito de fé, concedei o vosso conforto, a segurança em suas vidas, a proteção contra o inimigo e o crescimento em todas as virtudes. E assim, servindo a Vós, a exemplo de Santo Antônio, consigam a vossa graça e a verdadeira paz.

Por Nosso Senhor Jesus Cristo, vosso Filho, na unidade do Espírito Santo. Amém!

✳ ✳ ✳

Responsório de Santo Antônio

Desde 1232, popularizou-se o responsório composto em latim por Frei Juliano de Spira para a festa de Santo Antônio. O povo o conhece como "Responso" ou pelas primeiras palavras em latim: "Si quæris". Damos a versão de Amélia Rodrigues:

Se milagres tu procuras,
pede-os logo a Santo Antônio.
Fogem dele as desventuras,
o erro, os males e o demônio.

Torna manso o iroso mar,
da prisão quebra as correntes,
bens perdidos faz achar
e dá saúde aos doentes.

Aflições, perigos cedem
pela sua intercessão;
dons recebem se lhos pedem
o mancebo e o ancião.

Em qualquer necessidade
presta auxílios soberanos;
de sua alta caridade
fale a voz dos paduanos.

Glória seja dada ao Pai.
Glória ao Filho, nosso Bem.
E glória ao Espírito Santo.
Pelos séculos sem fim, amém.

Ladainha de Santo Antônio (I)

Senhor, tende piedade de nós!
Jesus Cristo, tende piedade de nós!
Senhor, tende piedade de nós!
Jesus Cristo, ouvi-nos!
Jesus Cristo, atendei-nos!
Deus, Pai do céu, **tende piedade de nós**!
Deus Filho, Redentor do mundo, **tende piedade de nós**!
Deus Espírito Santo, **tende piedade de nós**!
Santíssima Trindade, que sois um só Deus, **tende piedade de nós**!
Santo Antônio de Pádua, **rogai por nós**!
Íntimo amigo do Menino Deus!
Servo da Mãe Imaculada!
Fidelíssimo filho de São Francisco!
Homem de santa oração!
Amigo da pobreza!
Lírio da castidade!
Modelo da obediência!
Amigo da vida humilde!

Desprezador das glórias humanas!
Rosa da caridade!
Espelho de todas as virtudes!
Sacerdote segundo o Coração do Altíssimo!
Imitador dos Apóstolos!
Mártir pelo desejo!
Coluna da Igreja!
Amante das almas!
Propugnador da fé!
Doutor da verdade!
Batalhador contra a falsidade!
Arca do testamento!
Trombeta do Evangelho!
Convertedor dos pecadores!
Extirpador dos vícios!
Restaurador da Paz!
Reformador dos costumes!
Triunfador dos corações!
Auxiliador dos aflitos!
Ressuscitador de mortos!
Restituidor das coisas perdidas!
Glorioso taumaturgo!

Santo do mundo inteiro!

Glória da Família Franciscana!

Alegria da corte celeste!

Doutor da Santa Igreja!

Nosso amável padroeiro!

Cordeiro de Deus, que tirais os pecados do mundo:
Perdoai-nos, Senhor!

Cordeiro de Deus, que tirais os pecados do mundo:
Ouvi-nos, Senhor!

Cordeiro de Deus, que tirais os pecados do mundo:
Tende piedade de nós!

Rogai por nós, glorioso Santo Antônio!
Para que sejamos dignos das promessas de Cristo!

Oremos:

Ó Deus nosso Pai, nós vos suplicamos que a intercessão votiva de vosso glorioso confessor e nosso doutor Santo Antônio alegre a vossa Igreja, para que, fortalecida com espirituais auxílios, mereça alcançar a glória eterna. Por Cristo, Nosso Senhor! Amém!

Ladainha de Santo Antônio (II)

(Senhor, tende piedade de nós e Cordeiro como na primeira)

Santa Maria, Mãe de Deus!
Rogai por nós!
Santo Antônio, amigo de Jesus Cristo!
Santo Antônio, apóstolo do Evangelho!
Santo Antônio, doutor da santa Igreja!
Santo Antônio, mestre de espiritualidade!
Santo Antônio, mestre de sabedoria!
Santo Antônio, glória da vida consagrada!
Santo Antônio, modelo da vida contemplativa!
Santo Antônio, modelo de obediência!
Santo Antônio, modelo de vida pobre!
Santo Antônio, modelo de virtude!
Santo Antônio, espelho de pureza!
Santo Antônio, tesouro de caridade!
Santo Antônio, promotor da paz!
Santo Antônio, defensor dos pobres!
Santo Antônio, esperança dos desesperados!

Santo Antônio, consolo dos aflitos!
Santo Antônio, guia dos caminhantes!
Santo Antônio, protetor das crianças!
Santo Antônio, libertador dos presos!
Santo Antônio, socorro dos agonizantes!
Santo Antônio, glorioso taumaturgo!
Santo Antônio, nosso Padroeiro!
Santo Antônio, santo do mundo inteiro!

Oremos:

Deus eterno e todo-poderoso, que nos destes em Santo Antônio um insigne pregador e o fizestes protetor dos pobres e dos que sofrem, concedei-nos, por sua intercessão, seguir os ensinamentos do Evangelho e experimentar nas dificuldades o socorro da vossa misericórdia. Por Cristo, Nosso Senhor. Amém!

Ladainha de Santo Antônio (III)

(Senhor, tende piedade de nós e Cordeiro como na primeira)

Santa Maria, Mãe de Deus!
Rogai por nós!
Santo Antônio, nosso glorioso Padroeiro!
Santo Antônio, amigo de Jesus Cristo!
Santo Antônio, filho predileto de Maria Santíssima!
Santo Antônio, glória da Família Franciscana!
Santo Antônio, evangelizador das gentes!
Santo Antônio, lírio da castidade!
Santo Antônio, cultivador da humildade!
Santo Antônio, modelo de obediência!
Santo Antônio, exemplo de paciência!
Santo Antônio, pobre entre os pobres!
Santo Antônio, chama ardente de caridade!
Santo Antônio, espelho de santidade!
Santo Antônio, coluna da santa Igreja!
Santo Antônio, mestre da Sagrada Escritura!
Santo Antônio, doutor da verdade!

Santo Antônio, paciente confessor de penitentes!

Santo Antônio, incansável pregador contra os vícios!

Santo Antônio, terror dos demônios!

Santo Antônio, consolador dos aflitos!

Santo Antônio, conselheiro nas dificuldades!

Santo Antônio, conhecedor dos corações!

Santo Antônio, pacificador de corações revoltados!

Santo Antônio, alívio dos enfermos!

Santo Antônio, achador das coisas perdidas!

Santo Antônio, protetor das famílias!

Santo Antônio, santo entre os santos!

Oremos:

Deus eterno e todo-poderoso, que nos destes em Santo Antônio um mestre de sabedoria, concedei-nos, por sua intercessão e exemplo, viver sempre na vossa presença e vos servir com fidelidade. Por Cristo, Nosso Senhor. Amém!

* * *

Ladainha de Santo Antônio (IV)

(Senhor, tende piedade de nós e Cordeiro como na primeira)

Pelos méritos de Santo Antônio,
livrai-nos de todos os males, Senhor!
Por sua ardente caridade,
livrai-nos de todos os males, Senhor!
Por sua confiança em Deus,
livrai-nos de todos os males, Senhor!
Por seu exemplo de esperança em todas as dificuldades,
livrai-nos de todos os males, Senhor!
Por seu espírito profético,
livrai-nos de todos os males, Senhor!
Por seu grande zelo na conversão dos pecadores,
livrai-nos de todos os males, Senhor!
Por seu empenho em pacificar e reconciliar as famílias,
livrai-nos de todos os males, Senhor!
Por seu grande desejo de sofrer o martírio,
livrai-nos de todos os males, Senhor!
Por sua infatigável pregação do Evangelho,
livrai-nos de todos os males, Senhor!

Por sua fiel observância dos votos de pobreza, castidade e obediência,

livrai-nos de todos os males, Senhor!

Por sua rigorosa penitência,

livrai-nos de todos os males, Senhor!

Por sua simplicidade e humildade,

livrai-nos de todos os males, Senhor!

Por seus prodigiosos milagres em favor do povo,

livrai-nos de todos os males, Senhor!

Por sua vida santa,

livrai-nos de todos os males, Senhor!

Por sua santa morte,

livrai-nos de todos os males, Senhor!

Oremos:

Ó Deus, nosso Pai, vosso Filho nos ensinou que todos os mandamentos se resumem em amar a Deus e ao próximo. Concedei-nos, a exemplo de Santo Antônio, praticar obras de caridade, perdoar as ofensas recebidas e servir a todos com generosidade. Por Cristo, Nosso Senhor. Amém!

Invocações a Santo Antônio (I)

Após cada invocação: **Pela intercessão de Santo Antônio, escutai, Senhor, a nossa prece!**

Rezemos a Deus, nosso Pai, de quem provém todo o bem, que nos conceda, por intercessão de Santo Antônio, a graça de encontrar uma solução feliz para as nossas dificuldades.

Para que estejamos sempre em paz com nossa consciência:

Para que estejamos sempre em comunhão com Deus:

Para que estejamos sempre unidos ao Santo Padre e à Igreja:

Para que estejamos sempre prontos a socorrer os necessitados:

Para que estejamos sempre atentos à dignidade da pessoa humana:

Para que estejamos sempre preparados para testemunhar nossa fé:

Para que estejamos sempre dispostos a perdoar as ofensas recebidas:

Para que estejamos sempre entre os que buscam a paz:

Para que estejamos sempre cercados de bons amigos:

Para que estejamos sempre seguros nos caminhos de nossa vida:

Para que estejamos sempre protegidos de todo o mal e malefícios:

Para que estejamos sempre do lado dos promotores da concórdia e do diálogo:

Para que estejamos sempre morrendo para o pecado:

Para que estejamos sempre livres da soberba e do orgulho:

Para que estejamos sempre cercados pela graça divina:

Para que nossas famílias vivam unidas no amor:

Para que não faltem à nossa comunidade as bênçãos de Deus:

Para que nossa comunidade seja um lugar de paz entre todos:

Para que estejamos um dia entre os santos e santas do céu:

Oremos:

Ó Deus, nosso Pai, força e segurança dos fracos e pequenos, por intercessão de Santo Antônio, defensor dos pobres e atribulados, dai-nos a alegria de viver na perseverança da fé católica, no amor fraterno, e nunca perder as razões da nossa esperança. Por Cristo, Nosso Senhor. Amém!

Invocações a Santo Antônio (II)

Resposta após cada invocação: **Santo Antônio, socorrei-nos!**

Para que Deus, nosso Pai, por intercessão de Santo Antônio, nos abençoe e proteja!

Para que tenhamos uma vida sadia, alegre e plenamente cristã:

Para que tenhamos uma fé viva e participante em nossa comunidade:

Para que tenhamos uma esperança firme nas horas de angústia:

Para que tenhamos paciência em todas as dificuldades:

Para que tenhamos sempre um coração caridoso para com todos:

Para que tenhamos um coração compassivo com os que sofrem:

Para que tenhamos coragem de combater nosso egoísmo:

Para que tenhamos generosa disponibilidade na evangelização:

Para que tenhamos segurança no emprego e não falte o pão à mesa:

Para que tenhamos a compreensão e o amor entre pais e filhos:

Para que tenhamos segurança em nossa cidade:

Para que tenhamos segurança em nossas ruas, casas e praças:

Para que tenhamos mais partilha dos bens, que são de todos:

Para que tenhamos o suficiente bem-estar para sermos felizes:

Para que tenhamos o coração sempre voltado para Deus:

Para que tenhamos grande respeito pela vida humana:

Para que tenhamos a graça de uma boa morte, quando chegar nossa hora:

Para que tenhamos a garantia da vida eterna com Deus:

Oremos:

Senhor Deus, nosso Pai, que destes a Santo Antônio o poder de socorrer a todos os que a ele recorrem, dai-nos um coração confiante, manso e humilde, para podermos continuar a ter a proteção de tão grande Santo. Por Cristo, Nosso Senhor. Amém!

Cantos a Santo Antônio

À moda de ladainha

Santo Antônio, rogai por nós!/ Intercedei a Deus por nós! (2x)

1. Pregador do Evangelho, **intercedei,**/ pelo povo abandonado, **intercedei!**/ Para sermos mensageiros – **intercedei!** – / da justiça e da esperança, **intercedei!**

2. Mestre sábio da verdade, **intercedei,**/ pela Igreja peregrina, **intercedei!**/ Pelos jovens namorados, **intercedei!**/ Pelos lares em perigo, **intercedei!**

3. Vós, irmão dos pequeninos, **intercedei,**/ pelos pobres e doentes, **intercedei**!/ Pelos tristes e abatidos, **intercedei**!/ Pelos povos oprimidos, **intercedei**!

4. Para o mundo ser mais justo, **intercedei**,/ pela paz da humanidade, **intercedei!**/ Para sermos mais fraternos, **intercedei!**/ Para acharmos o perdido, **intercedei!**

Vinde, alegres cantemos

Vinde, alegres cantemos, a Deus dêmos louvor; a um Pai exaltemos, sempre com mais fervor.

Santo Antônio, a vós nosso amor! Sede nosso bom protetor! Aumentai o nosso fervor.

2. Santo Antônio triunfastes, lá na glória gozais, para sempre reinante, no Senhor repousais.

3. Já cingis a coroa da vitória final, o céu já vos entoa um louvor eternal.

Santo Antônio, rogai por nós! (2x)

1. Jubilosos vos saudamos, grande servo do Senhor! Santo Antônio, nesta vida, sois o nosso protetor.

2. Entre os santos que já reinam, gloriosos lá no céu, sois constante despenseiro dos mais ricos dons de Deus.

3. Ao Menino-Deus nos braços, nossos rogos transmiti! Ah, valei-nos sempre, sempre, e a Jesus nos conduzi.

Santo Antônio, Santo Antônio

(Melodia de "Se esta rua, se esta rua fosse minha...").

Santo Antônio, Santo Antônio era rico – mas tão pobre ele logo se tornou.

Fez-se pobre pra viver entre os pequenos – porque são os preferidos do Senhor.

Repartiu co'os pequenos seu saber – e com eles repartiu também o pão.

Sua vida se tornou por todo o tempo – uma plena, uma plena doação.

E por isso nós pedimos a Santo Antônio – que na terra já cumpriu sua missão:

Que ajude nosso povo que'inda sofre – sob a pena de uma dura exploração.

Dai coragem aos que lutam nesta terra – muita fé, esperança e união.

Conduzi com carinho nosso povo: – brilhe logo a nossa libertação.

Que não haja mais criança abandonada – nem idoso nem doente pelo chão.

Bom trabalho, bom salário para todos – pra ninguém ter que mendigar o pão.

Oração/canto da Paz

1. Cristo, quero ser instrumento de tua paz e do teu infinito amor! Onde houver ódio e rancor, que eu leve a concórdia, que eu leve o amor.

Onde há ofensa que dói, que eu leve o perdão! Onde houver a discórdia, que eu leve a união e tua paz.

2. Mesmo que haja um só coração que duvide do bem, do amor e do céu, quero com firmeza anunciar a Palavra que traz a clareza da fé!

3. Onde houver erro, Senhor, que eu leve a verdade, fruto de tua luz! Onde encontrar desespero, que eu leve a esperança do teu nome, Jesus!

4. Onde eu encontrar um irmão a chorar de tristeza, sem ter voz e nem vez, quero bem no seu coração semear a alegria, pra florir gratidão.

5. Mestre, que eu saiba amar, compreender, consolar e dar sem receber! Quero sempre mais perdoar, trabalhar na conquista e vitória da paz!

Índice

Introdução 5
Siglas usadas 9

Primeiro dia:
O santo da reconciliação 11

Segundo dia:
O santo do amor 15

Terceiro dia:
O santo da caridade.....................19

Quarto dia:
O santo dos pobres 23

Quinto dia:
O santo do evangelho 27

Sexto dia:
O santo da eucaristia 31

Sétimo dia:
O santo de Maria. 35

Oitavo dia:
O santo da humildade 39

Nono dia:
O santo da paciência 43

Décimo dia:
O santo da família. 47

Décimo primeiro dia:
O santo das coisas perdidas 51

Décimo segundo dia:
O santo do bom senso 55

Décimo terceiro dia:
O santo dos animais 59

Orações à escolha................63

Bênção de Santo Antônio
(Se o dirigente for sacerdote)...................63

Bênção de Santo Antônio
(Se o dirigente não for sacerdote)..............65

Bênção do Pão de Santo Antônio.......68

Bênção dos Lírios de Santo Antônio....69

Responsório de Santo Antônio.........70

Ladainha de Santo Antônio (I).........72

Ladainha de Santo Antônio (II).........75

Ladainha de Santo Antônio (III).......77

Ladainha de Santo Antônio (IV).......79

Invocações a Santo Antônio (I).........81

Invocações a Santo Antônio (II).........84

Cantos a Santo Antônio.........87